الدكتور الحبيب العفاس

المستوى الثاني

العَرَبيَّة للشَّباب 2

منهج متكامل في تعليم العربية للشباب الناطقين باللغات الأخرى

طبعة جديدة منقحة ومطورة

كتاب الطالب

الإطار الأوروبي المشترك والمرجعي الخاص باللغات

المستوى . A2

المعهد الأوروبي ابن رشد للتدريب والتربية

JSF Editions

© Editions Jeunesse Sans Frontières, Paris, 2011

97, rue de Charonne - 75011 PARIS - France
Tél : + 33 (0) 1 53 27 30 05 - Fax : + 33 (0) 1 53 27 00 18.
E-mail : ejsf@wanadoo.fr
www.editionsjsf.com

Dépôt légal : Octobre 2011.
Imprimé en Espagne. Made in French

ISBN : 978-2-35540-054-4

Illustrations :

Isabelle Borne
Juliette Derenne
Saeko Doyle
Evelyne Duverne

المُفْرَدات

أُنْظُرْ وَاسْمَعْ وَرَدِّدْ.

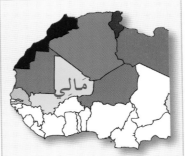

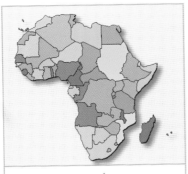

خَرِيطَةُ فَرَنْسَا

خَرِيطَةُ مَالِي

قَارَّةُ أُورُوبَّا

قَارَّةُ أَفْرِيقِيَا

قَارَّةُ آسِيَا

قَارَّةُ أَمرِيكَا

قَارَّةُ أُسْتَرَالِيَا

خَرِيطَةُ الْعَالَم

خَرِيطَةُ الْعَالَم الإِسْلامِي

هَذَا طَالِب

هَذِهِ طَالِبَة

أَنَا عَرَبِيَّة

أَنْتِ أَفْرِيقِيَّة

هِيَ أُورُوبِّيَّة

أَنْتِ صِينِيَّة

أَنَا هِنْدِيَّة

الْكَلام

التَّدْريب 1 : تَبادَلِ الْحِوارَ مَعَ زَميلِكَ ، كَمَا فِي الْمِثالِ .

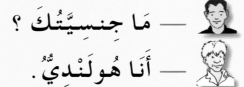

— مَا جنسِيَّتُكَ ؟

— أَنَا هُولَنْدِيٌّ .

— وَأَنْتِ مَا جنسِيَّتُكِ ؟

— أَنَا هِنْدِيَّةٌ .

للمدرس :

يستمر إجراء التدريب بين الطلبة باستخدام مثلا البلدان الآتية : فَرَنْسَا – بَلْجِيكَا – أَلْمَانِيَا – إِيطَالِيَا – إِسْبَانِيَا – الدَّانمَارك – كَنَدَا – أَمْرِيكَا – تُونُس – لُبْنَان – السُّودان – العِرَاق – الْمَغْرِب – تُرْكِيَا – نَيْجِيرْيَا – لِيبِيَا – سُورِيَّا – الْجَزَائِر .. الخ .

التَّدْريب 2 : تَبادَلِ الْحِوارَ مَعَ زَميلِكَ ، كَمَا فِي الْمِثالِ .

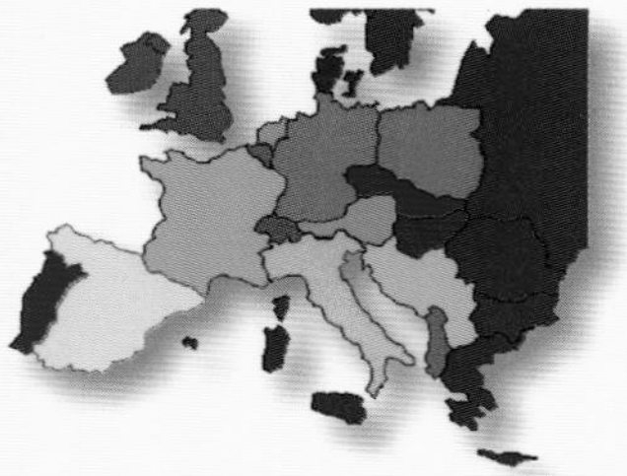

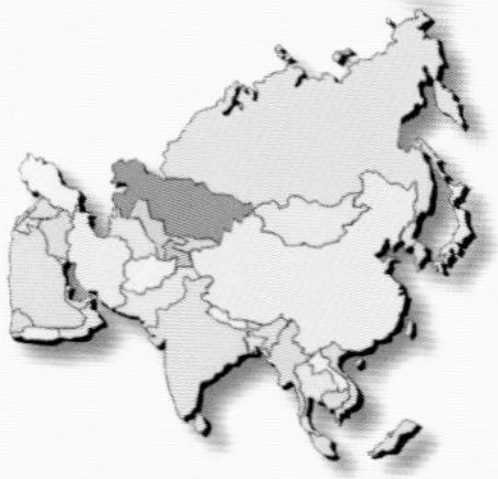

— أَيْنَ تَقَعُ إِيطَالِيَا ؟

— إِيطَالِيَا تَقَعُ فِي أُورُوبَّا .

— وَأَينَ تَقَعُ العِرَاق ؟

— العِرَاقُ تَقَعُ فِي آسِيَا .

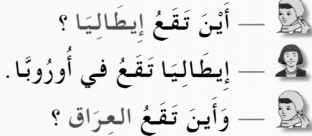

إِيطَالِيَا – العِرَاق

للمدرس :

يستمر إجراء التدريب بين الطلبة باستخدام مثلا البلدان الآتية : (فَرَنْسَا – الْجَزَائِر) – (بَلْجِيكَا – سُورِيَّا) – (نَيْجِيرْيَا – تُرْكِيَا) – (لِيبِيَا – تُونُس) – (السُّودان – كَنَدَا) – (أَمْرِيكَا – الْجَزَائِر) – (الْمَغْرِب – الدَّانمَارك) – (إِسْبَانِيَا – لُبْنَان) – (إِيطَالِيَا – العِرَاق) .

الْمُفْرَدَات

أُنْظُرْ وَاسْمَعْ وَرَدِّدْ.

غُرْفَةٌ

بَابُ الْغُرْفَةِ

غُرْفَةُ الْجُلُوسِ

غُرْفَةُ النَّوْمِ

غُرْفَةُ الطَّعَامِ

غُرْفَةُ الأَطْفَالِ

الْمَطْبَخُ

الْحَمَّامُ

الدَّرَجُ

الْمِدْفَأَةُ

سَقْفٌ

شُرْفَةٌ

حَدِيقَةٌ

مَسْبَحٌ

خِزَانَةُ الْمَلَابِسِ

مُسْتَوْدَعُ السَّيَّارَةِ

الْكَلاَم

التَّدْرِيب 1 : تَبادَلِ الْحِوارَ مَعَ زَميلِكَ ، كَمَا فِي الْمِثالِ.

— أَيْنَ تَسْكُنُ يا بَدْر ؟

— أَسْكُنُ فِي حَيِّ الْمَلْعَبِ . وَأَنتَ ؟

— أَسْكُنُ فِي حَيِّ السَّعَادَة.

حَيِّ الْمَلْعَبِ

— أَيْنَ تَسْكُنِينَ يا فَاطِمَة ؟

— أَسْكُنُ فِي حَيِّ الْمَلْعَبِ . وَأَنتِ ؟

— أَسْكُنُ فِي حَيِّ السَّعَادَة.

حَيِّ السَّعَادَةِ

للمدرس :

(يَذكُرُ كُلّ طَالِب الحَيّ الَّذي يَسكُنُ فيه.)

التَّدْرِيب 2 : أَكْمِلِ الْحِوارَ.

— .... ؟

— أَسْكُنُ فِي بَيْتٍ .

— .... ؟

— فِي الْبَيْتِ خَمسُ غُرَفٍ .

— .... ؟

— فِي غُرْفَتِي سَرِيرٌ وَخِزَانَةٌ.

— .... ؟

— نَعَمْ ، غُرْفَتِي وَاسِعَةٌ.

التَّدْرِيب 3 : كَوِّن جُمَلاً كَمَا فِي الْمِثَال.

الْمَعْهَدُ قَرِيبٌ مِنَ الْبَيْتِ.

الْمَدْرَسَةُ قَرِيبَةٌ مِنَ الْبَيْتِ.

الْمَعْهَد

الْمَدْرَسَة

الْبَيْتِ

السُّوقُ

البَيْتِ

مَحطَّة الْقِطَار

الْمَعْهَد

الْمَلْعَب

الْمَطْعَم

الْقِرَاءَة

اقْرَأْ ثُمَّ أَجِبْ عَنِ الأَسْئِلَة.

يَذْهَبُ إِبْرَاهِيمُ إِلَى الْمَعْهَدِ. الْوَقْتُ مُبَكِّرٌ. السَّاعَةُ الآنَ السَّابِعَةُ صَبَاحاً. الْمَعْهَدُ بَعِيدٌ عَنِ الْبَيْتِ. يَبْدَأُ الْيَوْمُ الدِّرَاسِيُّ السَّاعَةَ الثَّامِنَةَ صَبَاحاً. لاَ يَذْهَبُ إِبْرَاهِيمُ إِلَى الْمَعْهَدِ بِالْحَافِلَةِ، بَلْ يَذْهَبُ بِالدَّرَّاجَةِ النَّارِيَّة. يَدْرُسُ إِبْرَاهِيمُ سِتَّةَ أَيَّامٍ فِي الأُسْبُوعِ : الاِثْنَيْن، وَالثُّلاَثَاء، وَالأَرْبِعَاء، والْخَمِيس، والْجُمُعَة، والسَّبْت. إِبْرَاهِيمُ يَدْرُسُ اللُّغَةَ الْعَرَبِيَّة، وَسَيَكُونُ مُدَرِّساً، إِنْ شَاءَ اللَّه.

1. مَتَى يَذْهَبُ إِبْرَاهِيمُ إِلَى الْمَعْهَدِ ؟
2. مَتَى يَبدَأُ الْيَوْمُ الدِّرَاسِيّ ؟
3. مَاهِيَ أَيَّامُ الأُسْبُوع ؟
4. مَاذَا سَيَعْمَلُ إِبْرَاهِيمُ ؟

الوَحْدَة 4

مَاذَا تَفْعَلُ فِي الصَّبَاحِ ؟

الْحِوَار

أُنْظُرْ وَاسْمَعْ وَرَدِّدْ.

مُرَاد : مَتَى تَسْتَيْقِظُ مِنَ النَّوْم ؟

رِيَاض: أَسْتَيْقِظُ مُبَكِّراً، وَأَنْتَ ؟

مُرَاد : أَسْتَيْقِظُ عِنْدَ الْفَجْرِ.

رِيَاض: مَاذَا تَفْعَلُ فِي الصَّبَاح ؟

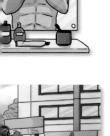

مُرَاد : أَغْتَسِلُ وَأُصَلِّي الْفَجْرَ، وَأَنْتَ ؟

رِيَاض: آكُلُ فَطُورَ الصَّبَاحِ وَأَذْهَبُ إِلَى الْمَعْهَد.

مُرَاد : مَتَى تَذْهَبُ إِلَى الْمَعْهَد.

رِيَاض: أَذْهَبُ السَّاعَةَ السَّابِعَةَ.

مُرَاد : هَلْ تَتَغَدَّى فِي الْمَطْعَم ؟

رِيَاض: نَعَمْ، دَائِماً.

مُرَاد : مَتَى تَرْجِعُ إِلَى الْبَيْتِ ؟

رِيَاض: أَرْجِعُ غَالِباً فِي الْمَسَاء.

مُرَاد : مَتَى تَنَامُ عَادَةً ؟

رِيَاض: أَنَامُ السَّاعَةَ الْحَادِيَةَ عَشَرَة.

مُرَاد : هَلْ تُشَاهِدُ التِّلْفَازَ فِي اللَّيْل ؟

رِيَاض: أُشَاهِدُ التِّلْفَازَ قَلِيلاً.

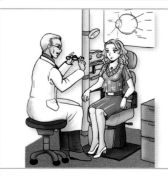

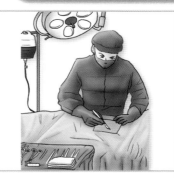

المُفْرَدَاتُ

أُنْظُرْ وَاسْمَعْ وَرَدِّدْ.

طَبِيبُ عُيُونٍ

طَبِيبُ جَرَّاحُ

دَهَّانُ

بَنَّاءُ

حَلَّاقٌ

مِيكَانِيكِيٌّ

لَحَّامٌ

خَبَّازٌ

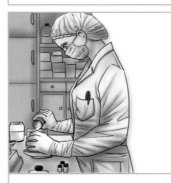

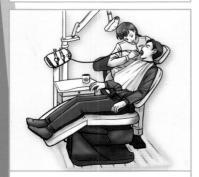

مُخْرِجٌ سِينِيمَائِيٌّ

بَاحِثَةٌ

كَهْرَبَائِيَّةٌ

طَبِيبَةُ أَسْنَانٍ

صَيْدَلِيَّةٌ

مُحَاسِبَةٌ

سَاعِيَةُ بَرِيدٍ

مُوَظَّفَةٌ فِي الْبَنْكِ

التَّدْرِيب 1 : تَبادَلِ الْحِوارَ مَعَ زَمِيلِك، كَمَا فِي الْمِثَالِ.

— مَاذَا تَدْرُسُ ؟ (مَاذَا تَدْرُسِينَ ؟)

— أَنَا أَدْرُسُ الطَّيَرَانَ فِي كُلِّيَّةِ الطَّيَرَانِ.

— مَاذَا سَتَعْمَلُ بَعْدَ الدِّرَاسَةِ ؟ (سَتَعْمَلِينَ)

— سَأَعْمَلُ طَيَّاراً، إِنْ شَاءَ اللَّه.

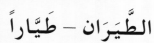

الطَّيَرَان – طَيَّاراً

الطِّبَّ – طَبِيباً

الطِّبَّ – طَبِيباً لِلْعُيُونِ

الطِّبَّ – طَبِيبَةً لِلأَسْنَانِ

الصِّحَافَةَ – صَحَفِيَّةً

السِّينِمَا – مُخْرِجاً

التَّصْوِيرَ – مُصَوِّراً

التَّدْرِيب 2 : أَكْمِلِ الْحِوارَ.

— كَمْ عُمْرُكَ ؟

— ....

— كَمْ لُغَةً تَعْرِفُ ؟

— ....

— هَلْ لَكَ إِخْوَة ؟

— ....

— كَمْ أَخاً لَكَ ؟

— ....

الأَصْوات

التَّدْرِيب 1 : اسْمَعْ وَرَدِّدْ (ض – ظ)

ض	مُمَرِّضَة – التَّمْرِيض – فَضْلِك –- بَعْض – ضَلَّ.
ظ	حَافِظ – مَحْفُوظ – حَفِيظَة – عَظِيم – ظَفَر.

التَّدْرِيب 2 : اسْمَعْ وَرَدِّدْ

ض	ظ
ضَفَرَ	ظَفَرَ
ضَلَّ	ظَلَّ
ضَنَّ	ظَنَّ
ضَنِين	ظَنِين

ض	ظ
نَضَرَ	نَظَرَ
نَضِير	نَظِير
مَضَرَّة	مَظَرَّة
نَاضِرَة	نَاظِرَة

ض	ظ
أَرْض	أَرْظ
حَضَّ	حَظَّ
حَاضَ	حَاظَ
قَرَضَ	قَرَظَ

التَّدْرِيب 3 : اسْمَعْ وَرَدِّدْ

﴿وَاللَّهُ ذُو الْفَضْلِ الْعَظِيمِ (21)﴾ (الحديد : 21).

﴿إِنَّ بَعْضَ الظَّنِّ إِثْمٌ (12)﴾ (الحجرات : 12).

﴿بَلِ الظَّالِمُونَ فِي ضَلَالٍ مُبِينٍ (11)﴾ (لقمان : 11).

﴿وَلَوْ كَانَ بَعْضُهُمْ لِبَعْضٍ ظَهِيراً (88)﴾ (الإسراء : 88).

﴿وُجُوهٌ يَوْمَئِذٍ نَّاضِرَةٌ (22) إِلَى رَبِّهَا نَاظِرَةٌ (23)﴾ (القيامة : 22-23).

التَّرَاكِيب الْجَدِيدَة

التَّدْرِيب 1 : كَوِّن جُمَلاً كَمَا فِي الْمِثَال.

دَرَسْتُ اللُّغَةَ الْعَرَبِيَّةَ فِي الجَامِعَةِ، وَأَعْمَلُ الآنَ مُعَلِّماً. أَنَا أُحِبُّ عَمَلِي.

اللُّغَةَ الْعَرَبِيَّةَ – مُعَلِّماً

الْهَنْدَسَةَ – مُهَنْدِسَةً

التَّمْرِيضَ – مُمَرِّضَةً

عِلْمَ الأَحْيَاءِ – عَالِمَةَ أَحْيَائِ

التَّدْرِيب 2 : كَوِّن جُمَلاً كَمَا فِي الْمِثَال.

رَضْوَانُ مِيكَانِيكِيٌّ، يَعْمَلُ فِي مَعْمَلِ السَّيَّارَاتِ. هُوَ يَعْمَلُ ثَمَانِي سَاعَاتٍ فِي الْيَوْمِ.

مِيكَانِيكِيٌّ – مَعْمَلِ السَّيَّارَاتِ – ثَمَانِ

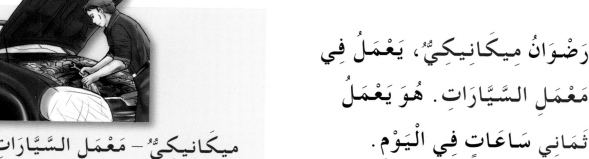

ضَابِطٌ – الْجَيْشِ الْوَطَنِيِّ – سَبْعَ

طَيَّارٌ – الْجَيْشِ الْوَطَنِيِّ – سِتَّ

مُدَرِّسَةٌ – الْمَعْهَدِ – سَبْ

الْقِـرَاءَة

التَّدْرِيب 1 : اقْرَأ الْجُمَلَ ثُمَّ اكْتُبْ رَقْمَ الصُّورَةِ فِي الْمُرَبَّعِ الْمُنَاسِبِ.

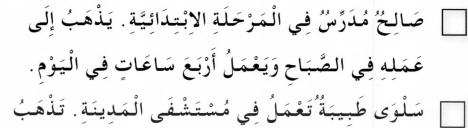

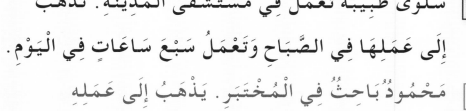

1

2

3

4

☐ صَالِحٌ مُدَرِّسٌ فِي الْمَرْحَلَةِ الابْتِدَائِيَّةِ. يَذْهَبُ إِلَى عَمَلِهِ فِي الصَّبَاحِ وَيَعْمَلُ أَرْبَعَ سَاعَاتٍ فِي الْيَوْمِ.

☐ سَلْوَى طَبِيبَةٌ تَعْمَلُ فِي مُسْتَشْفَى الْمَدِينَةِ. تَذْهَبُ إِلَى عَمَلِهَا فِي الصَّبَاحِ وَتَعْمَلُ سَبْعَ سَاعَاتٍ فِي الْيَوْمِ.

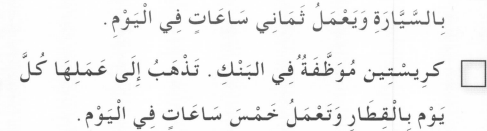

☐ مَحْمُودٌ بَاحِثٌ فِي الْمُخْتَبَرِ. يَذْهَبُ إِلَى عَمَلِهِ بِالسَّيَّارَةِ وَيَعْمَلُ ثَمَانِي سَاعَاتٍ فِي الْيَوْمِ.

☐ كِرِيسْتِين مُوَظَّفَةٌ فِي البَنْكِ. تَذْهَبُ إِلَى عَمَلِهَا كُلَّ يَوْمٍ بِالْقِطَارِ وَتَعْمَلُ خَمْسَ سَاعَاتٍ فِي الْيَوْمِ.

التَّدْرِيب 2 : اقْرَأْ ثُمَّ أَجِبْ عَنِ الأَسْئِلَةِ.

ظَافِرٌ مِنَ النِّمْسَا وَيَسْكُنُ فِي فِيِينَّا. عُمرُهُ ثَلاثُونَ عَاماً. يَعْمَلُ مُهَنْدِساً مِعْمَارِيًّا فِي شَرِكَةٍ كَبِيرَةٍ. يَبْدَأُ الْعَمَلَ السَّاعَةَ الثَّامِنَةَ صَباحاً، وَيَتَغَدَّى السَّاعَةَ الوَاحِدَةَ ظُهْراً. يَنْتَهِي مِنَ العَمَلِ السَّاعَةَ الْخَامِسَةَ مَسَاءً. يَعْمَلُ ظَافِرٌ ثَمَانِي سَاعَاتٍ فِي الْيَوْمِ، وَيَعْمَلُ خَمْسَةَ أَيَّامٍ فِي الأُسْبُوعِ.

1. مِنْ أَيْنَ ظَافِر وَأَيْنَ يَسْكُن ؟
2. كَمْ عُمرُهُ ؟
3. مَتَى يَبْدَأُ الْعَمَل ؟
4. مَتَى يَتَغَدَّى ؟
5. كَمْ سَاعَةً يَعْمَلُ فِي الْيَوْم ؟
6. كَمْ يَوْماً يَعْمَلُ فِي الأُسْبُوع ؟

إِلَى السُّوقِ

الْحِوَار

أُنْظُرْ وَاسْمَعْ وَرَدِّدْ.

الشَّارِعُ مُزْدَحِمٌ جِدًّا بِالدَّرَّجَاتِ، وَسَيَّارَاتِ الأُجْرَةِ، وَالسَّيَّارَاتِ الْخَاصَّةِ، وَالْحَافِلاَتِ، وَالشَّاحِنَاتِ. وَالْمُشَاةُ كَثِيرُون فَوْقَ الرَّصِيفِ. مُعَاذُ يُرِيدُ أَنْ يَذْهَبَ إِلَى السُّوقِ.

مُعَاذ : مِنْ فَضْلِكَ، أَيْنَ السُّوق ؟

رَجُل : السُّوقُ بَعِيدٌ مِنْ هُنَا، يُمْكِنُكَ أَنْ تَرْكَبَ حَافِلَةً.

مُعَاذ : أَيْنَ مَحَطَّةُ الْحَافِلاَتِ ؟

رَجُل : سِرْ فِي هَذَا الشَّارِعِ إِلَى الْمَيْدَانِ، الْحَافِلاَتُ أَمَامَكَ.

اِرْكَبْ الْحَافِلَةَ رَقْم (100) مِائَة.

الْقِرَاءَة اقْرَأْ ثُمَّ أَجِبْ عَنِ الأَسْئِلَة.

إِلَى بَيْتِ خَالِد.

إِذَا أَرَدْتَ أَنْ تَذْهَبَ إِلَى بَيْتِ خَالِد مَاشِياً، فَاتَّجِهْ إِلَى سَاحَةِ الشُّهَدَاءِ، اُدْخُلْ فِي شَارِعِ بَغْدَاد، بَعْدَ مِئَةِ مِتْرٍ، تَجِدُ تَقَاطُعَ الشَّارِعِ مَعَ شَارِعِ الثَّوْرَةِ، بَعْدَهُ تَجِدُ عَلَى الْيَسَارِ مَحطَّةَ الْوَقُود. بَيْتُ خَالِدٍ فِي الزَّاوِيَةِ بَعْدَ الْمَحَطَّةِ، بِنَاء رَقْم 20. الطَّابَقُ الثَّالِثُ.

سُؤَال : اذْكُر كَيْفَ يُمْكِنُنِي أَنْ أَصِلَ إِلَى بَيْتِ خَالِد ؟

— لَوْ سَمَحْتَ، كَيْفَ أَصِلُ إِلَى مَرْكَزِ الشُّرْطَة ؟
— خُذِ الْحَافِلَةَ رَقْم 14.
— شُكْراً لَكَ، وَلَكِنْ أَيْنَ مَحَطَّةَ الْحَافِلاَت ؟
— هُنَاكَ.. عَلَى الرَّصِيفِ الْمُقَابِلِ، أَمَامَ بَائِعِ الصُّحُفِ.
— هَلْ مَرْكَزُ الشُّرْطَةِ بَعِيدٌ ؟
— لاَ، خَمْس دَقَائِق فِي الْحَافِلَةِ.
— وَكَيْفَ أَصِلُ إِلَيْهِ مَاشِياً ؟
— خُذْ هَذَا الطَّرِيقَ، ثُمَّ انْعَطِفْ إِلَى الْيَمِينِ عِنْدَ التَّقَاطُعِ الأَوَّلِ. اتَّجِهْ بَعْدَ ذَلِكَ نَحْوَ التَّقَاطُعِ الثَّانِي، تَجِدُمَرْكَزَ الشُّرْطَةِ عَلى الزَّاوِيَةِ الْيُمْنَى.
— شُكْراً لَكَ.

سُؤَال : اذْكُر كَيْفَ يُمْكِنُ لِلسَّائِل أَنْ يَصِلَ إِلَى مَرْكَزِ الشُّرْطَة ؟

الْوَحْدَةُ 7

فِي دُكَّانِ البَقَّالِ

الْحِوَار

أُنْظُرْ وَاسْمَعْ وَرَدِّدْ.

الْبَائِع : أَهْلاً وَسَهْلاً، تَفَضَّل.

أَحْمَد : أُرِيدُ خُبْزاً مِنْ فَضْلِكَ.

الْبَائِع : تَفَضَّلِ الْخُبْزَ. وَمَاذَا تُرِيدُ أَيْضاً ؟

أَحْمَد : أُرِيدُ سُكَّراً وَعَسَلاً وَعَصِيرَ فَوَاكِهَ.

الْبَائِع : تَفَضَّلِ السُّكَّرَ وَالْعَسَلَ وَالْعَصِيرَ.
هَلْ تُرِيدُ شَيْئاً آخَرَ ؟

أَحْمَد : نَعَمْ، زُجَاجَةَ زَيْتٍ، وَصَابُونَ حَمَّامٍ، وَمَعْجُونَ أَسْنَانٍ.

الْبَائِع : هَذِهِ زُجَاجَةُ الزَّيْتِ، وَهَذَا صَابُونُ الْحَمَّامِ، وَهَذَا مَعْجُونُ الأَسْنَانِ.

أَحْمَد : كَمْ أَدْفَعُ لَكَ ؟

الْبَائِع : الْحِسَابُ ثَلاَثُونَ يُورُو.

أَحْمَد : تَفَضَّلْ، هَذِهِ ثَلاَثُونَ يُورُو.

الْبَائِع : شُكْراً.

أَحْمَد : مَعَ السَّلاَمَةِ.

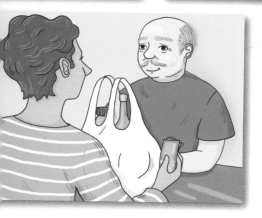

② فَحَصَ الطَّبِيبُ رَأْسَ مُوسَى وَرَقَبَتَهُ وَعَيْنَهُ الْيُمْنَى وَعَيْنَهُ الْيُسْرَى وَأَنْفَهُ وَأُذُنَهُ الْيُمْنَى وَأُذُنَهُ الْيُسْرَى وَيَدَهُ، وَقَالَ :

— اِفْتَحْ فَمَكَ .

③ فَحَصَ الطَّبِيبُ فَمَ مُوسَى وَأَسْنَانَهُ وَحَلْقَهُ، وَقَالَ لَهُ :

— اِخْلَعْ مَلَابِسَكَ وَتَنَفَّسْ بِعُمْقٍ .

خَلَعَ مُوسَى مَلَابِسَهُ، فَفَحَصَ الطَّبِيبُ صَدْرَهُ وَظَهْرَهُ وَبَطْنَهُ وَرُكْبَتَهُ الْيُمْنَى وَرُكْبَتَهُ الْيُسْرَى وَقَدَمَهُ الْيُمْنَى وَقَدَمَهُ الْيُسْرَى، وَقَالَ لَهُ :

— اِرْفَعْ ذِرَاعَكَ .

④ قَاسَ الطَّبِيبُ ضَغْطَ الدَّمِ وَقَالَ :

— اِلْبَسْ مَلَابِسَكَ . عِنْدَكَ حُمَّى خَفِيفَةٌ . وَهَذِهِ وَصْفَةُ الْعِلَاجِ : شَرَابٌ وَأَقْرَاصٌ وَحُقَنٌ .

نَصَحَ الطَّبِيبُ مُوسَى بِتَرْكِ التَّدْخِينِ وَتَنَاوُلِ الْخَضْرَاوَاتِ وَالْفَوَاكِهِ . وَنَصَحَهُ أَيْضاً بِالرَّاحَةِ ثَلَاثَةَ أَيَّامٍ .

أَجِبْ عَنِ الْأَسْئِلَةِ .

1. مَاذَا فَعَلَ مُوسَى حِينَ شَعَرَ بِالْأَلَمِ ؟   4. مَاذَا عِنْدَ مُوسَى ؟

2. هَلْ مُوسَى يُدَخِّنُ ؟   5. مَا وَصْفَةُ الطَّبِيبِ لِمُوسَى ؟

3. مَاذَا قَالَ الطَّبِيبُ لِمُوسَى ؟   6. بِمَاذَا نَصَحَ الطَّبِيبُ مُوسَى ؟

فِي الْمَطَارِ

الْوَحْدَة 10

الْحِوَار — **أُنْظُرْ وَاسْمَعْ وَرَدِّدْ.**

أَرَادَ مُصْطَفَى السَّفَرَ إِلَى مَدِينَةِ بَرْلِينَ فَذَهَبَ إِلَى مَكْتَبِ حَجْزِ التَّذَاكِرِ لِيَتَسَلَّمَ تَذْكِرَةَ الذَّهَابِ.

① فِي مَكْتَبِ الْحَجْزِ

مُصْطَفَى : أُرِيدُ أَنْ أَحْجِزَ لِمَدِينَةِ بَرْلِين بِأَلْمَانِيَا.

الْمُوَظَّف : هُنَاكَ رِحْلَةٌ يَوْمَ السَّبْتِ.

مُصْطَفَى : جَمِيل. اِحْجِزْ لِي مَكَاناً مِنْ فَضْلِكَ.

الْمُوَظَّف : أَبِالدَّرَجَةِ الأُولَى أَمِ السِّيَاحِيَّة ؟

مُصْطَفَى : بِالدَّرَجَةِ السِّيَاحِيَّةِ.

الْمُوَظَّف : حَسَناً. عَلَيْكَ أَنْ تُؤَكِّدَ الْحَجْزَ قَبْلَ السَّفَرِ بِيَوْمٍ.

مُصْطَفَى : مَتَى تُقْلِعُ الطَّائِرَة ؟

الْمُوَظَّف : فِي الْعَاشِرَةِ صَبَاحاً.

مُصْطَفَى : وَمَتَى أَحْضُرُ إِلَى الْمَطَارِ ؟

الْمُوَظَّف : قَبْلَ الإِقْلاعِ بِسَاعَةٍ عَلَى الأَقَلِّ.

مُصْطَفَى : شُكْراً.

الْمُوَظَّف : رَافَقَتْكَ السَّلامَة. و

AND YOU ARE SAFE ?

② فِي بَهوِ السَّفَرِ

مُصْطَفَى : لَو سَمَحْتِ . أَنَا ذَاهِبٌ إِلَى بَرْلِين .

الْمُوَظَّفَة : التَّذكِرَةَ وَجَوازَ السَّفَرِ مِن فَضلِك .

مُصْطَفَى : هَذِهِ هِيَ التَّذكِرَةُ وَهَذا هُوَ جَوازُ السَّفَرِ .

الْمُوَظَّفَة : أَينَ حَقَائِبُك ؟

مُصْطَفَى : مَعي حَقيبَةٌ واحِدَةٌ .

الْمُوَظَّفَة : ضَعْهَا عَلَى المِيزانِ . . . الوَزنُ الزّائِدُ عَشرَةُ كِيلُواتٍ . اِدْفَعْ خَمْسِينَ يُورُو .

مُصْطَفَى : تَفَضَّلِي .

الْمُوَظَّفَة : وَالآنَ امْلَأْ بِطَاقَةَ الدُّخولِ ثُمَّ اتَّجِهْ إِلى بَهْوِ الجَوَازَاتِ .

③ فِي داخِلِ بَهوِ الجَوازاتِ

مُوَظَّفُ الجَوازات : هَل تَسمَحُ بِالجَوازِ وَبِطاقَةِ المُغَادَرَة ؟

مُصْطَفَى : تَفَضَّلْ .

مُوَظَّفُ الجَوازات : حَسَناً . أُدْخُلْ في بَهوِ المُغَادَرَةِ .

مُصْطَفَى : شُكْراً مَعَ السَّلَامَةِ .

صَلَ مُصطَفى إِلَى بَرْلِين فَتَوَجَّهَ إِلَى بَهوِ الْجَمارِكِ .

④ فِي بَهْوِ الْجَمَارِكِ

مُوَظَّفُ الجَمَارِك : مَاذَا فِي حَقِيبَتِك ؟

مُصْطَفَى : بَعْضُ الْمَلَابِسِ وَالْكُتُبِ .

مُوَظَّفُ الجَمَارِك : يُمْكِنُكَ أَنْ تَخرُجَ .

مُصْطَفَى : شُكْراً .

المُفْرَدات

أُنْظُرْ وَاسْمَعْ وَرَدِّدْ.

فِي بَهْوِ الاِسْتِقْبالِ

التَّوَجُّهُ إِلَى بَهْوِ السَّفَرِ

فِي بَهْوِ السَّفَرِ

تَزِنُ المُوَظَّفَةُ الحَقِيبَةَ

تَثْبِيتُ شَرِيطٍ مُرَقَّمٍ

التَّوَجُّهُ إِلَى بَهْوِ المُغادَرَةِ

خَتْمُ جَوازِ السَّفَرِ

فِي بَهْوِ الاِنْتِظارِ

أَمامَ بَوَّابَةِ المُغادَرَةِ

الصُّعُودُ إِلَى الطَّائِرَةِ

وَضْعُ الحَقِيبَةِ عَلى الرَّفِّ

الجُلُوسُ في المَقْعَدِ

المُضَيِّفُ

قائِدُ الطَّائِرَةِ

تُقْلِعُ الطَّائِرَةُ

النُّزُولُ مِنَ الطَّائِرَةِ

الْكَلام | أَكْمِلِ الْحِوارَ.

— هل حجَزْتَ لِمَدينَةِ روما ؟
— ....
— .... ؟
— الرِّحلَةُ يوم الأَحَد.
— ....
— بِالدَّرَجةِ السِّياحِيَّة.

— ....
— أَصِلُ في التّاسِعَةِ صَباحاً.
— ....
— التَّذكِرَةُ وَجوازُ السَّفَرِ.
— هَل تَأْخُذُ أَشياء أُخرى ؟
— ....

الأَصْوات | أُنْظُرْ وَاسْتَمِعْ وَرَدِّدْ

الشَّدَّةُ (ـّ)

الشَّدَّةُ عَلامَةٌ تُوضَعُ عَلى الحَرفِ (ـّ) دَلالَةً عَلى تَضعيفِه.

دَرَسَ	←	دَرَّسَ
جَمَعَ	←	جَمَّعَ
رَجَعَ	←	رَجَّعَ

تَدْرِيب : اِنْطِقِ الْكَلِماتِ التّالِيَة :

جَلَبَ – جَلَّبَ	إِنْ – إِنَّ	كَسَرَ – كَسَّرَ	كَلَمَ – كَلَّمَ	كُنْ – كُنّا
دَفَعَ – دَفَّعَ	قُلْ – قَلَّ	وَافَقَ – وَفَّقَ	صَعِدَ – صَعَّدَ	سَلَكَ – سَلَّكَ

التَّرَاكِيبُ الْجَدِيدَةُ — كَوِّنْ جُمَلاً كَمَا فِي الْمِثَالِ.

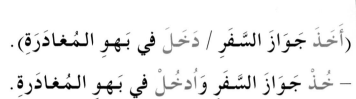

(أَخَذَ جَوَازَ السَّفَرِ / دَخَلَ فِي بَهْوِ الْمُغَادَرَةِ).

– خُذْ جَوَازَ السَّفَرِ وَادْخُلْ فِي بَهْوِ الْمُغَادَرَةِ.

(تَأَكَّدَ مِنَ الْوَقْتِ / تَوَجَّهَ إِلَى بَهْوِ السَّفَرِ).

– ....

(أَخَذَ التَّذْكِرَةَ / اسْتَعَدَّ لِلسَّفَرِ).

– ....

(جَلَسَ فِي الْمَقْعَدِ / شَرِبَ قَهْوَةً).

– ....

الْقِرَاءَةُ — اقْرَأْ ثُمَّ أَجِبْ عَنِ الْأَسْئِلَةِ. — مُصْطَفَى فِي الْمَطَارِ

① أَرَادَ مُصْطَفَى السَّفَرَ إِلَى لَنْدَنَ، فَحَضَرَ إِلَى بَهْوِ السَّفَرِ وَسَلَّمَ الْمُوَظَّفَةَ جَوَازَ سَفَرِهِ وَتَذْكِرَتَهُ. وَزَنَ حَقِيبَتَهُ وَدَفَعَ ثَلَاثِينَ يُورُو قِيمَةَ الْوَزْنِ الزَّائِدِ ثُمَّ تَسَلَّمَ بِطَاقَةَ الْمُغَادَرَةِ وَمَلَأَهَا. بَعْدَ ذَلِكَ، مَرَّ عَلَى مُوَظَّفِ الْجَوَازَاتِ وَتَوَجَّهَ إِلَى بَهْوِ الْمُسَافِرِينَ.

بَعْدَ ساعَةٍ سَمِعَ النِّداءَ التّالي :

تُعْلِنُ الخُطوطُ الجَوِّيَّةُ البَريطانِيَّةُ عَن قِيامِ رِحلَتِها رَقْم مائة وَخَمْسُون (150)، المُتَّجِهَةِ إلى لندن. وَعَلى المُسافِرينَ المَعْنِيِّينَ سُرْعَةَ التَّوَجُّهِ إلى بَوّابَةِ الخُرُوجِ رَقْم 4 لِصُعُودِ الطّائِرَة.

وَصَلَ مُصْطَفى إلى لندن. هَبَطَتِ الطّائِرَةُ فَرَكِبَ حافِلَةَ المَطارِ. حينَ وَصَلَ بَهْوَ القُدُومِ، نَزَلَ مِنَ الحافِلَةِ، وَقابَلَ مُوَظَّفَ الجَوازاتِ، فَقَدَّمَ لَهُ جَوازَ السَّفَرِ. فَحَصَ المُوَظَّفُ الجَوازَ، وَوَجَّهَهُ إلى بَهْوِ الجَمارِكِ.

طَلَبَ مُوَظَّفُ الجَمارِك مِن سَعيدٍ أن يَفتَحَ حَقيبَتَهُ فَوَجَدَ فيها بَعْضَ المَلابِسِ وَكُتُباً.

طَلَبَ مِنْهُ أن يُقْفِلَ الحَقيبَةَ وَيَتَّجِهَ إلى بَوّابَةِ الخُرُوجِ.

أَجِبْ عَنِ الأَسئِلَة.

1. ما هِيَ الأعمال الَّتي قام بها سعيد قَبل وُصولِه إلى بَهوِ المُسافِرين ؟
2. ما هُو مُحتَوى النِّداء لِلمُسافِرين ؟
3. ماذا فَعل سعيد بَعد هُبوط الطّائِرة ؟
4. ماذا يوجَد في حَقيبَة سعيد ؟

الوَحْدَةُ 11

رِسَالَةٌ إِلَى صَدِيقَتِي

النَّصّ أُنْظُرْ وَاسْمَعْ وَرَدِّدْ.

بِسمِ اللّٰهِ الرَّحمَنِ الرَّحيم

① صَدِيقَتِي حَلِيمَةُ، تَحِيَّةً عَطِرَةً، وَبَعْدُ،
أَكْتُبُ إِلَيْكِ هَذِهِ الرِّسَالَةَ مِنْ بَارِيسَ عَاصِمَةِ فَرَنْسَا. وَصَلْتُ مَطَارَ بَارِيسَ يَوْمَ السَّبْتِ الْمَاضِي، بَعْدَ سَفَرٍ مُرِيحٍ بِالطَّائِرَةِ. كَانَ الطَّقْسُ لَطِيفاً.

② رَكِبْتُ الْحَافِلَةَ وَفِي الطَّرِيقِ شَاهَدْتُ العِمَارَاتِ الكَبِيرَةَ والحَدَائِقَ الجَمِيلَةَ، كَمَا شَاهَدْتُ بُرجَ إِيفَلْ العَالِي.

لمُدَرِّسَة : وَأَنْتِ يا زَيْنَب ؟

يْنَب : سَأَقُومُ مَع أَهْلِي بِزِيَارَاتٍ عَائِلِيَّةٍ فِي الجَزَائِرِ وَسَأَتَجَوَّلُ فِي الصَّحْرَاءِ وَعَدَداً مِنَ المُدُنِ والقُرَى فِي بَلَدِي. لَقَدْ زُرْتُ بِلاَداً كَثِيرَةً فِي الخارِجِ وَلَكِنْ أَجْهَلُ الكَثِيرَ عَن بَلَدِي. وَسَأَكْتُبُ عِدَّةَ رَسائِلَ لِصَدِيقَاتِي فِي أَلْمَانِيا وَمِصرَ.

مُدَرِّسَة : وَأَنتَ يا سَالِم ؟

الِم : أَنَا سَأَقْضِي عُطْلَةَ الصَّيْفِ فِي مِصْرَ مَعَ عَمِّي. سَأَزُورُ الأَهْرَامَاتِ وَالْمَتَاحِفَ وَنَهْرَ النِّيلِ. وَسَأُعَمِّقُ دِرَاسَتِي لِلُّغَةِ الْعَرَبِيَّةِ فِي مَعْهَدٍ مَشْهُورٍ بِالْقَاهِرَةِ.

مُدَرِّسَة : هَذَا جَمِيلٌ جِدًّا. وَأَنْتَ يَا كَمَالُ ؟

مَال : أَنَا سَأَبْقَى هُنَا لِأَشْتَغِلَ فِي عَمَلٍ صَيْفِيٍّ. فَأَنَا أَحْتَاجُ إِلَى الْمَالِ حَتَّى أُغَطِّي مَصَارِيفَ دِرَاسَتِي فِي الْجَامِعَةِ.

مُدَرِّسَة : عُطْلَةً سَعِيدَةً يَا طُلاَّب.

المُفْرَدَات

أُنْظُرْ وَاسْمَعْ وَرَدِّدْ.

بَلْدَةٌ مُطِلَّةٌ عَلَى الْبَحْرِ

جَزِيرَةٌ صَغِيرَةٌ

شَلَّالَاتُ الْمَاءِ

قَرْيَةٌ فِي أُورُوبَّا

قَرْيَةٌ فِي إِفْرِيقِيَا

مَدِينَةٌ قَدِيمَةٌ

مَدِينَةٌ أَثَرِيَّةٌ

جِبَالٌ شَاهِقَةٌ

جِبَالٌ قَاحِلَةٌ

يَتَجَوَّلُونَ فِي الصَّحْرَاءِ

يَتَجَوَّلُونَ فَوقَ الثَّلْجِ

يَرْكَبُ السَّيَّاحُ الْجِمَالَ

يَتَسَلَّقُ الْجَبَلَ

الْخَيْمَةُ مَنْصُوبَةٌ

الْخِيَامُ مَنْصُوبَةٌ

الْكَلام

تَبادَلِ السُّؤالَ وَالْجَوابَ حَوْلَ الصُّوَرِ مَعَ زَميلِكَ.

— .... — .... — .... — ....
— .... — .... — .... — ....
— .... — .... — .... — ....
— .... — .... — .... — ....

الأَصْوات

1. أُنْظُرْ وَاسْتَمِعْ وَرَدِّدْ

الْهَمْزَةُ (أ) – الْهَمْزَةُ الْمَمْدودَةُ (آ)

أ	آ
أَكَلَ	آكِلُ
أَخَذَ	آخِذُ
أَمينَةُ	آمِنَةُ

2. اِنْطِقِ الْكَلِماتِ التّالِيَةَ :

سِفَ – آسِفُ	أَنْ – آنَ	مَأْخَذُ – مَآخِذُ	مَأْرَبُ – مَآرِبُ	أَلَمَ – آلَم
أَثَرَ – آثَرَ	أَمَرَ – آمُرُ	أَوَى – آوَى	مَأْدُبَةُ – مَآدِبُ	أَمِنَ – آمِنُ

التَّراكِيب الْجَدِيدَة

كَوِّن جُملاً كَمَا فِي الْمِثَال.

- أَينَ يسبَحُ الرَّجُلُ ؟
- هُوَ يسبَحُ في البحرِ.

- أَينَ يَتَجَوَّلُ الرَّجُلُ ؟
- هُوَ يَتَجَوَّلُ في ……………

- أَينَ يَصْطادُ السَّمَكَ ؟
في ……………

- أَينَ ……………
في ……………

- أَينَ ……………
في ……………

- أَينَ ……………
في ……………

الْقِرَاءَة

اقْرَأْ ثُمَّ أَجِبْ عَنِ الأَسْئِلَة.

عُطلَةُ الأُسْبوع

① يُفَضِّلُ كَثيرٌ مِنَ النَّاسِ قَضاءَ عُطلَةَ الأُسْبوعِ خارِجَ البَيْتِ. يَحْمِلُ النَّاسُ مَعَهُم خِيَاماً، وَمَلابِسَ، وَكَثِيراً مِنَ الطَّعَامِ. يَضَعُ النَّاسُ الطَّعَامَ في أَوانٍ كَثِيرَةٍ.

وَيُعِدُّ بَعْضُ النَّاسِ الطَّعَامَ فِي الْمُخَيَّمَاتِ.

وَيَحْمِلُ النَّاسُ مَعَهُمُ الْمَاءَ، إِذَا لَمْ يَكُنْ فِي الْمَكَانِ مَاءٌ.

يَخْرُجُ مُنْذِرٌ مَعَ عَائِلَتِهِ إِلَى الْغَابَةِ أَوْ إِلَى الْجَبَلِ. يَنْصِبُ مُنْذِرٌ الْخَيْمَةَ، وَيَحْمِلُ مَعَهُ الطَّعَامَ وَالشَّرَابَ، وَبَعْضَ اللُّعَبِ.

تُفَضِّلُ أُمُّ سَلْمَى الْمَشْيَ بَيْنَ الْأَشْجَارِ، وَمُشَاهَدَةَ الطُّيُورِ وَالتَّصْوِيرَ.

وَتَخْرُجُ حَنَانُ مَعَ أَصْحَابِهَا أَيَّامَ الْعُطْلَةِ إِلَى شَاطِئِ الْبَحْرِ. تُمَارِسُ حَنَانُ السِّبَاحَةَ، وَأَنْوَاعَ الرِّيَاضَةِ الْأُخْرَى، وَتَصْطَادُ السَّمَكَ.

أَجِبْ عَنِ الْأَسْئِلَةِ.

1. أَيْنَ يُفَضِّلُ النَّاسُ قَضَاءَ عُطْلَةَ الْأُسْبُوعِ؟
2. مَاذَا يَحْمِلُ النَّاسُ مَعَهُمْ؟
3. مَاذَا يَفْعَلُ مُنْذِرٌ؟
4. مَنْ يُفَضِّلُ مُشَاهَدَةَ الطُّيُورِ؟
5. مَا الرِّيَاضَةُ الَّتِي تُمَارِسُهَا حَنَانُ؟

مُفْرَدَاتٌ مُسانِدَة

الأَعْمالُ الْيَوْمِيَّةُ

نَامَ الرَّجُلُ في غُرْفَةِ النَّوْمِ

هُوَ الآنَ نائِمٌ

تَنامُ المَرْأَةُ نَوْماً عَميقاً

تَسْتَيْقِظُ المَرْأَةُ بَاكِراً

أَيْقَضَها صَوْتُ المُنَبِّهِ

تَغْسِلُ المَرْأَةُ يَدَيْها بِالماءِ

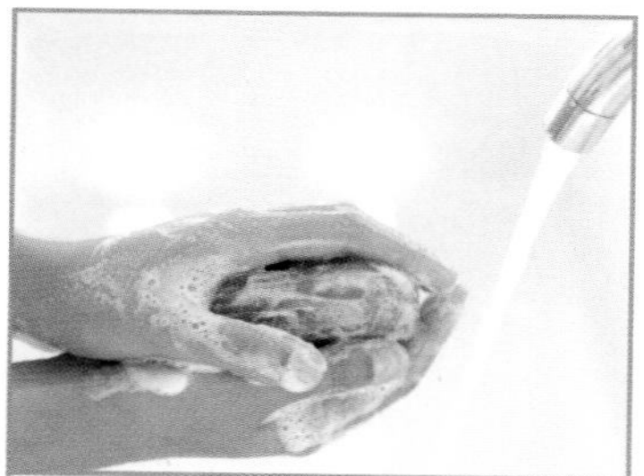

هِيَ تَغْسِلُ بِالماءِ وَالصَّابُونِ

هَذِهِ رَغْوَةُ صَابُون

تَسْتَعْمِلُ غَسُولاً لِتَرْطِيبِ يَدَيْها

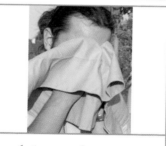

تَمْسَحُ يَدَيْها بِالمَنْدِيلِ

مَسَحَ وَجْهَهُ بِالمِنْشَفَةِ

يَغْسِلُ رَأْسَهُ بِالماءِ

تُجَفِّفُ شَعْرَها بِمُجَفِّفِ الشَّعْرِ

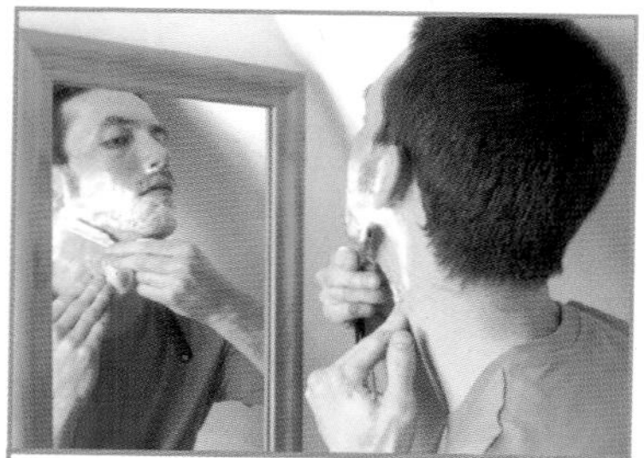

يَحْلِقُ ذَقْنَهُ كُلَّ صَباحٍ

يَحْلِقُ الفَتَى ذَقْنَهُ

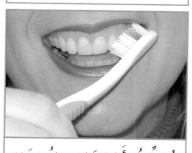

تُنَظِّفُ أَسْنَانَها بِالفُرْشَاةِ

تُنَظِّفُ أَسْنانَها أَمامَ الْمِرْآةِ

يَمْلأُ الكَأْسَ بِالْماءِ

تَقُصُّ الفَتاةُ شَعْرَها

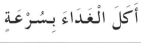

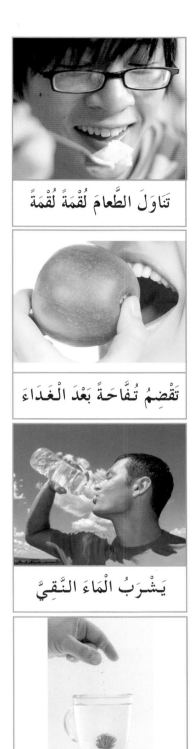

أَكَلَ الْغَدَاءَ بِسُرْعَةٍ

يَأْكُلُ الْبِتْزَا في الْغَدَاءِ

يَتَغَدَّى شَطِيرَةً

تَنَاوَلَ الطَّعَامَ لُقْمَةً لُقْمَةً

يَتَعَشَّى مَكَرُونَةً بِاللَّحْمِ

لَعِقَ مُثَلَّجَةً

قَضَمَتْ التُّفَّاحَةَ

تَقْضِمُ تُفَّاحَةً بَعْدَ الْغَدَاءِ

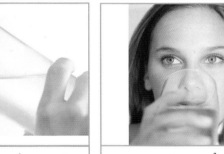

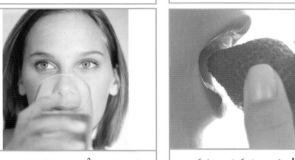

تَأْكُلُ فَرَاوِلَةً لَذِيذَةً

شَرِبَت الْمَاءَ حَتَّى رَوِيت

يَشْرَبُ الْمَاءَ عِنْدَ الْعَطَشِ

يَشْرَبُ الْمَاءَ النَّقِيَّ

يَشْرَبُ الرَّجُلُ الْقَهْوَةَ

يَشْرَبُ الْوَلَدُ الْحَلِيبَ

يَصُبُّ الْمَاءَ في الْكَأْسِ

أَسْقَطَ شَيْئاً في الْكَأْسِ

تَضَعُ السُّكَّرَ في الْقَهْوَةِ

يَأْكُلُ وَيَقْرَأُ الْجَرِيدَةَ

يَفْتَحُ زُجَاجَةَ الْعَصِيرِ

فَتَحَ الْحَنَفِيَّةَ

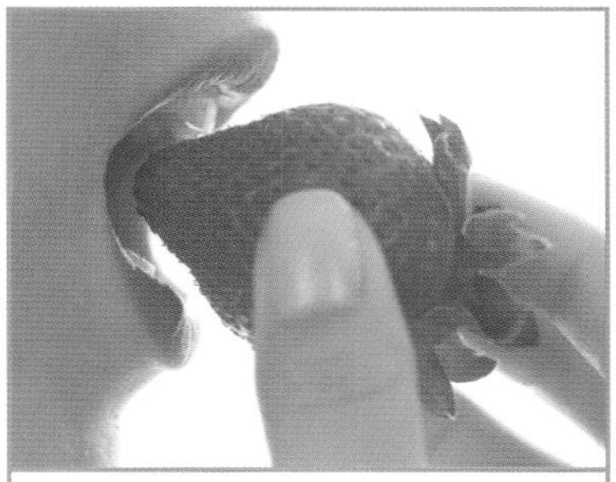

لَبِسَ قَمِيصاً رَخِيصَ الثَّمَن

لَبِسَ قَمِيصاً غَالِي الثَّمَن

لَبِسَ جُمَّازَةً في الصَّيْفِ

لَبِسَ كِنْزَةً مِنَ الصُّوفِ

ارْتَدَى كِنْزَةً جَمِيلَةً

قَفَلَ زِرَّ الْقَمِيصِ

لَبِسَ سُتْرَةً مِنَ الصُّوفِ

لَبِسَ سُتْرَةً مِنَ الجِلْدِ

لَبِسَ تُبَّاناً

لَبِسَ تُبَّاناً وَحِذَاءً رِيَاضِيّاً

لَبِسَ سِرْوَالاً (بَنْطَلُوناً)

المِعْطَفُ أَنِيقٌ

ارْتَدَى كُسْوَةً أَنِيقَةً

اشْتَرَى ثِيَاباً جَدِيدَةً

لَبِسَ لِبَاساً رِيَاضِيّاً

لَبِسَ مَنَامَةً قَبْلَ النَّوْمِ

رَبْطَةُ الْعُنُقِ حَمْرَاءُ اللَّوْنِ

الْجَوَارِبُ دَافِئَةٌ

الْحِذَاءُ رَمَادِيُّ اللَّوْنِ

رَبَطَ حِزَامَهُ حَوْلَ وَسَطِهِ

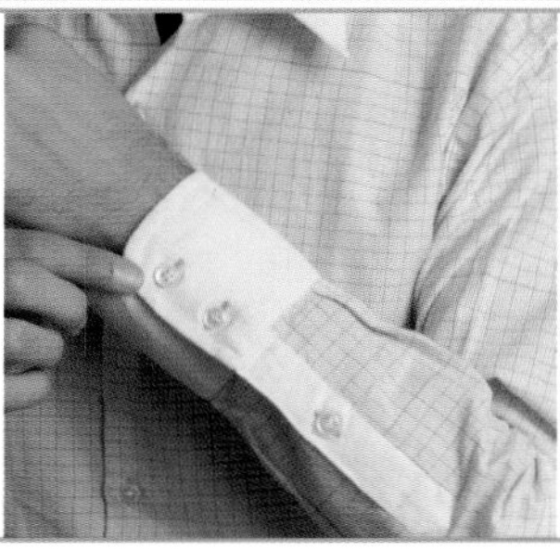

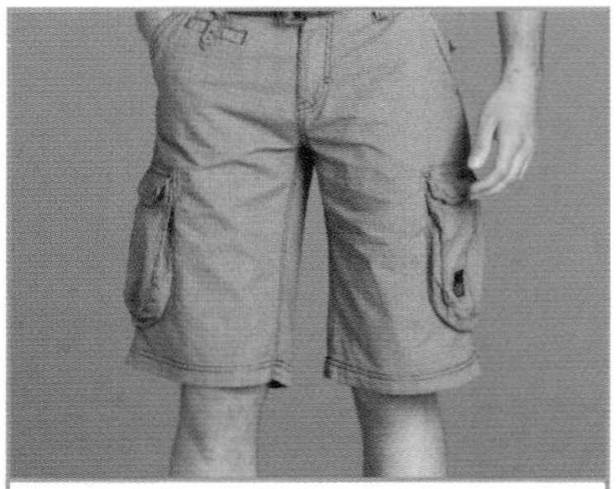

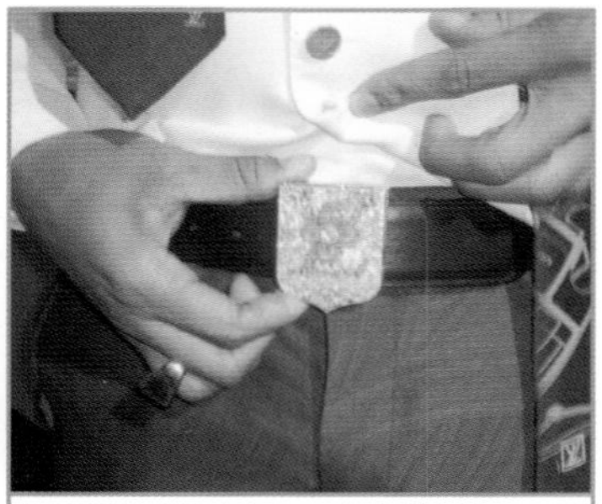

لَبِسَ لِبَاساً يَحْمِيهِ مِنَ البَرْدِ

الجُمَّازَةُ مُنَاسِبَةٌ لِلْحَرَارَةِ

الحِذَاءُ الرِّيَاضِيُّ مُلَوَّنٌ

لَبِسَ الحِذَاءَ فَوْقَ الجَوَارِبِ

لَبِسَتْ حِذَاءً بِدُونِ جَوَارِب

لَبِسَتْ الْخُفَّ الأَسْوَدَ

لَبِسَتِ الْفَتَاةُ سُتْرَةً فَاخِرَةً

الْعَبَاءَةُ طَوِيلَةٌ

الفُسْتَانُ طَوِيلٌ وَوَاسِعٌ

حِجَاب أَبْيَض وَأَسْوَد

جَلاَّبِيَّة بَيْضَاء مُزَرْكَشَة

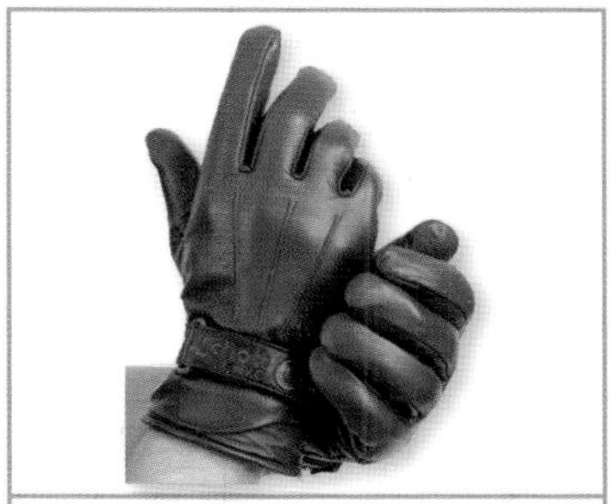

لَبِسَ قُفَّازاً يَقِيهِ البَرْدَ

النَّظَّارَةُ تُسَاعِدُهَا عَلَى الرُّؤْيَةِ

النَّظَّارَةُ تَحْمِي عَيْنَيْهِ

وَضَعَتْ عَلَى رَأْسِهَا قُبَّعَةً

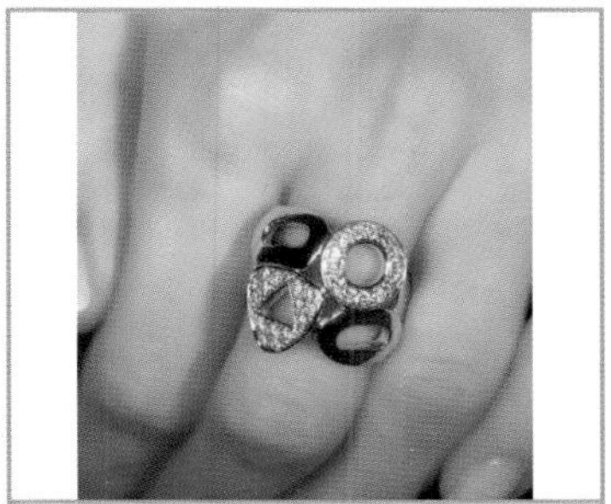

لَبِسَتْ خَاتَماً مِنْ فِضَّةٍ

وَضَعَتْ قِلاَدَةً حَوْلَ عُنُقِهَا

لَبِسَتْ سِوَاراً مِنْ ذَهَب

لَبِسَتْ أَقْرَاطاً مِن ذَهَب

لَبِسَتْ مَنَامَةً اِسْتِعْدَاداً لِلنَّوْمِ

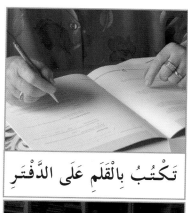

يَكْتُبُ الرَّجُلُ عَلى الْكُرَّاسَةِ

يَكْتُبُ دُرُوسَهُ على دَفْتَرٍ

تَكْتُبُ بِالْقَلَمِ عَلَى الدَّفْتَرِ

تَكْتُبُ على الحَاسُوبِ

تَسْتَعْمِلُ الطَّالِبَةُ الحَاسُوبَ

تَقْرَأُ الفَتَاةُ قِصَّةً

يُفَضِّلُ الْقِرَاءَةَ في الصَّبَاحِ

يُطَالِعُ الوَلَدُ قِصَّةً شَائِقَةً

قَرَأَ النَّصَّ عِدَّةَ مَرَّاتٍ

طَالَعَتْ الصَّفحَات الأُولَى مِنَ القِصَّةِ

يَرْسُمُ الفَنَّانُ لَوْحَةً جمِيلَةً

تَرْسُمُ بِالأَلْوَانِ المَائِيَّةِ

أَهْدَيْتُ أُمِّي هَدِيَّةً ثَمِينَةً

قَبلَتْ أُمِّي الْهَدِيَّةَ بِفَرَحٍ

قَدَّمَ هَدِيَّةَ الْعِيدِ لِابْنِهِ

تَسَلَّمَتْ هَدِيَّةَ عِيدِ الْمِيلَادِ

يَتْلُو الشَّيْخُ القُرْآنَ الكَرِيمَ

جَلَسَتْ تَدْعُو بَعْدَ الصَّلَاةِ

يُصَلِّي المُسْلِمُونَ صَلَاةَ الجُمُعَةِ

يَطُوفُ المُسْلِمُونَ حَوْلَ الكَعْبَةِ

لَبِس قُفَّازَ التَّنْظِيفِ

يُنَظِّفُ الحَوْضَ بِالمَاءِ وَالصَّابُون

تُنَظِّفُ بِلاطَ الأَرْضِ

تُزِيلُ الأَوْسَاخَ العَالِقَةَ بِالزُّجاجِ

يَحُكُّ السَّيَّارَةَ بِالحَكَّاكَةِ

يَرُشُّ المَاءَ لِيُزِيلَ الصَّابُون

العَائِلَةُ كُلُّهَا تَقُومُ بِالتَّنْظِيفِ

تُجَفِّفُ البَابَ بِالمِنْدِيلِ

يُلَمِّعُ مُقَدِّمَةَ السَّيَّارَةِ

مَكَانُ القِيَادَةِ نَظِيفٌ يَلْمَعُ

الفَتَاتَانِ تَعْتَنِيَانِ بِالسَّيَّارَةِ

تَسْتَعْمِلُ مَادَّةً خَاصَّةً لِلتَّنْظِيفِ

تُزِيلُ الغُبَارَ عَنِ الخِزَانَةِ

تُنَظِّفُ مَائِدَةَ الطَّعَامِ

أَصْبَحَ المِغْطَسُ نَظِيفاً

تُعِدُّ الطَّعَامَ فِي المَطْبَخِ

حَمَلَ الكِيسَ الأَخْضَرَ

هِيَ تَحْمِلُ الأَكْيَاسَ

حَمَلَ حَقِيبَةَ الشُّغْلِ

الحَقِيبَةُ كَبِيرَةٌ وَثَقِيلَةٌ

ضَغَطَ عَلى الزِّرِّ

تَضْغَطُ عَلى الأَزْرارِ لِفَتْحِ البابِ

أَغْلَقَ البابَ بِالمِفْتاحِ

فَتَحَتِ البابَ

يَرْكَبُ الرَّجُلُ دَرّاجَةً

رَكِبَ السّائِقُ في السَّيّارَةِ

يَقُودُ السّائِقُ سَيّارَةً

تَوَقَّفَ السّائِقُ عَنِ السِّياقَةِ

يَقُودُ السّائِقُ شاحِنَةً

النّاسُ يَرْكَبُونَ الحافِلَةَ

النّاسُ يَرْكَبُونَ المِيتْرُو

يَقُودُ الرَّجُلُ دَرّاجَةً نارِيَّةً

هُوَ يَرْكَبُ سَيّارَةَ أُجْرَةٍ

هُوَ يَرْكَبُ زَوْرَقاً

هُوَ يَرْكَبُ قارِباً

هُوَ يَرْكَبُ سَفِينَةً

يَتَكَلَّمُ الشّابُ في الهاتِفِ

يَقْرَأُ رِسالَةً في الهاتِفِ

يُصَوِّرُ الرَّجُلُ بِالمُصَوِّرَةِ

هِيَ أَخَذَتْ صُورَةً تَذْكارِيَّةً

الْحَرَكَات

يَمْشِي مِن بَيْتِهِ إلى الْعَمَلِ

سَارَ الرَّجُلُ على قَدَمَيْهِ

نَزَلَ الرَّجُلُ الدَّرَجَ

يَصْعَدُ الرَّجُلُ الدَّرَجَ

هُمْ صَعِدُوا الدَّرَجَ الآلِيَّ

هُوَ اجْتَازَ الطَّرِيقَ بِحَذَرٍ

وَقَفَ الرَّجُلُ أَمَامَ الحَافِلَةِ

هُمْ يَنْتَظِرُونَ المِيتْرو

يَنْتَظِرُونَ الصُّعُودَ في الحَافِلَة

جَلَسَ عَلَى أَرْضِ المَلْعَبِ

هُمَا جَلَسَا يَنْتَظِرَان

قَعَدَ الرَّجُلُ على الكُرْسِيِّ

هُمْ جَلَسُوا يُشَاهِدُونَ الحَفْلَ

اسْتَرَاحَ اسْتِرَاحَةً طَوِيلَةً

اسْتَعَدَّ الرِّيَاضِيُّ لِلانْطِلَاقِ

انْطَلَقَ العَدَّاؤُونَ في السِّبَاقِ

جَرَى الرِّيَاضِيُّ في الغَابَةِ

رَكَضَ الْعَدَّاءُ بِسُرْعَةٍ

هَذَا سِبَاقُ الْعَدْوِ

قَفَزَ الرِّيَاضِيُّ عَالِياً جِدّاً	وَثَبَ الرِّيَاضِيُّ فَوْقَ الْعَصَى	قَفَزَ الرِّيَاضِيُّ قَفْزَةً طَوِيلَةً	قَفَزَ الْفَتَى عَالِياً
هُوَ سَقَطَ بِدَرَّاجَتِهِ	وَقَعَ اللَّاعِبُ عَلَى الْأَرْضِ	قَفَزَ الْفَرَسُ فَوْقَ السُّورِ	قَفَزَ الرِّيَاضِيُّ فَوْقَ الْحَاجِزِ

اسْتَعَدَّ الرِّيَاضِيُّ لِرَمْيِ الْكُرَةِ	رَفَعَ الرِّيَاضِيُّ الْأَوْزَانَ بِقُوَّةٍ	رَفَعَ الرِّيَاضِيُّ الْأَوْزَانَ الثَّقِيلَةَ	هُوَ وَقَفَ يَلْتَقِطُ أَنْفَاسَهُ

هُمْ يَسْبَحُونَ يَوْمَ الْخَمِيسِ	هُوَ يَسْبَحُ فِي الْمَسْبَحِ	سَلَّمَهُ الْعَصَى	رَمَى الْكُرَةَ الْحَدِيدِيَّةَ بَعِيداً
أَلْقَى الْمُصَارِعُ خَصْمَهُ أَرْضاً	هُمَا يَتَصَارَعَانِ فِي الْحَلْبَةِ	هُمْ يَتَزَحْلَقُونَ مَعَ بَعْضِهِمْ	هُوَ يَتَزَحْلَقُ عَلَى الْجَلِيدِ

ضَرَبَ الْوَلَدُ الْكُرَةَ بِقَدَمِهِ	سَيَقْذِفُ اللَّاعِبُ بِالْكُرَةِ بَعِيداً	هَرَبَ اللَّاعِبُ بِالْكُرَةِ	أَوْقَفَ اللَّاعِبُ الْكُرَةَ بِقَدَمِهِ
تَلَقَّى اللَّاعِبُ الْكُرَةَ بِصَدْرِهِ	يَتَسَلَّقُ الْوَلَدُ الْجَبَلَ	هُمْ يَلْعَبُونَ الْكُرَةَ فِي الْمَلْعَبِ	صَوَّبَ الْكُرَةَ إِلَى الْهَدَفِ
ارْتَمَى اللَّاعِبُ عَلَى الْكُرَةِ	هُوَ يَحْرُسُ الْمَرْمَى	هُوَ ضَرَبَ الْكُرَةَ بِسُرْعَةٍ	صَفَّرَ الرَّجُلُ بِالصَّفَّارَةِ
تَنْعَسُ الْمَرْأَةُ أَثْنَاءَ الْعَمَلِ	هُوَ تَعِبَ الْيَوْمَ مِنَ الدِّرَاسَةِ	شَعَرَتِ الْمَرْأَةُ بِالتَّعَبِ	يَشْعُرُ الرَّجُلُ بِالْإِرْهَاقِ
يَفْرُكُ الرَّجُلُ عَيْنَيْهِ	يَزِنُ الرَّجُلُ وَزْنَهُ بِالْمِيزَانِ	أَشَارَ الرَّجُلُ بِإِصْبِعِهِ	سَلَّمَ عَلَى الرَّجُلِ بِحَرَارَةٍ

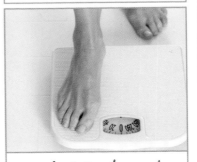

الْحَوَاسُّ الْخَمْسُ

اللَّمْسُ: لَمَسَ التُّرَابَ بِأَصَابِعِهِ

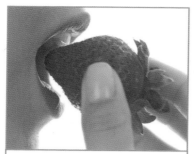

الذَّوْق : ذَاقَتْ فَرَاوِلَةً لَذِيذَةً

طَعْمُ الْعَصِيرِ رَدِيءٌ

الشَّمُّ : يَشُمُّ وَرْدَةً

الْبَصَرُ : رَأَى الْمَشْهَدَ جَيِّداً

السَّمْعُ : أَسْمَعُ جَيِّداً

أَغْمَضَ الرَّجُلُ عَيْنَيْهِ

لاَ أَرَى .. لاَ أَسْمَعُ .. لاَ أَتَكَلَّمُ

اسْكُتْ وَلاَ تَتَكَلَّمْ

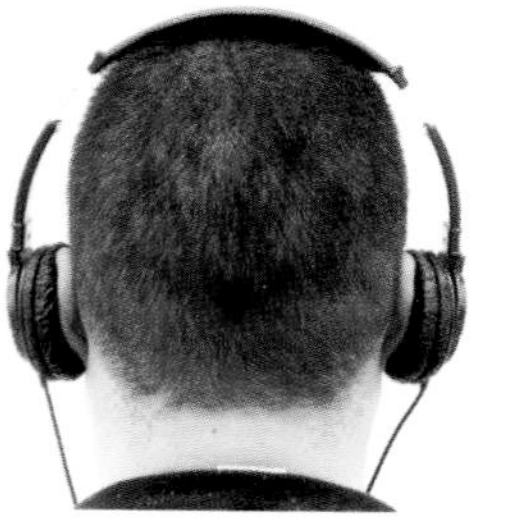

يَسْمَعُ جَيِّداً بِالسَّمَّاعَةِ

تَسْمَعُ إِلَى الأُغْنِيَةِ وَحْدَهَا

الْمَشَاعِرُ وَالأَحَاسِيسُ

يَضْحَكُ فَهُوَ مَسْرُور

تُقَهْقِهُ فَهِيَ فَرْحَانَة

يَرْفُضُ وَيَقُولُ : لاَ

هُوَ مُبْتَسِم

هِيَ تَبْتَسِمُ

هِيَ سَعِيدَةٌ

مُمْكِنْ

يُفكِّرُ في المُشْكِلِ

تُفكِّرُ باحِثَةً عَنْ حَلٍّ

يَتَثاءَبُ مِنَ النُّعاسِ

تَنْتَظِرُ خَبَراً سارّاً

يَهْمِسُ

تُوَشْوِشُ بِصَوْتٍ خافِتٍ

هُوَ حَزِينٌ بَعْدَ وَفاةِ أُمِّهِ

هِيَ مَهْمُومَةٌ

يَبْكي مِنْ شِدَّةِ الهَمِّ

ذَرَفَتِ الدَّمْعَ كَثِيراً

احْمَرَّ وَجْهُها حَياءً

تَفاجَأَتْ

خافَ خَوْفاً شَدِيداً

كادَتْ تَموتُ مِنَ الذُّعْرِ

اسْتَهْزَأَ مِنْ صَدِيقِهِ

عابِسَةُ الوَجْه

ارْتابَ فِي الأَمْرِ

غَضِبَتْ غَضَباً شَدِيداً

تَمَلَّكَهُ الغَضَبُ

هِيَ تَشْعُرُ بِالرَّاحَةِ

الفهرس